아는 낱말의 수만큼 밤이 되겠지

임수현

시인의 말

나의 기침이
너의 안부가 되지 않기를

한밤중에 일어나
창밖을 내다보는 일이
우리의 안부가 되지 않기를

2021년 7월

임수현

아는 낱말의 수만큼 밤이 되겠지

차례

2부 후 불면 꺼질 것처럼 환한

3부 축축한 웃음 괜찮습니다

4부 말을 아끼면 비밀도 많아진다

해설

1부

마음이 없는 건 아니지만

주지는 않아요

긴 목을 늘어뜨리고

티셔츠에 얼룩이 들었다
어디서 옮겨 온 얼룩인지

경우의 수를 생각한다 그건 내가 소심해서
가끔 계획적이라는 말을 듣는 것과 비슷하다

계획적으로 얼룩을 만들었을까 카키가 베이지로 옮
겨 간 기분으로

누가?
정말
친구를 잘못 사귀어서 그래
나쁜 물이 들었어

완전무결한 삶을 꿈꾼 건 아냐
서로에게 토마토나 진흙을 던지며
웃는 사람들을 봐
우리가 모르는 사이 친해지고 있잖아

노을이 수평선을 붙잡고 벌떡 일어나
잡히는 대로 돌멩이를 던지는 상상을 하면
조금 웃음이 난다

내가 쓰는 시나 사랑과 비슷해

니트 티셔츠는 눕혀서 말려야 한다
서쪽으로 해가 진다 붉은색으로 물든다 서쪽은 잘
모르겠지만

계획에 없이 결혼을 하고 아이를 낳고
계획대로 된다면 그렇게 큰 생활 계획표는 필요 없었
겠지

아무것도 하지 않을 올해의 계획

실은 누가 누구에게 옮겨 가는 줄 모르면
한참 더 걸을 수 있다

속에 입으면

속을 알 수는 없으므로

초복

언니가 죽었어
요새는 뼈가 타는 걸 보여 주더라
마흔다섯이 십 분밖에 안 걸려
너는 입에서 날개뼈를 발라내며 말한다

너는 국물에
소금을 많이 넣는 것 같다

어떤 나라에서는
화약 속에 유골 가루를 넣어 폭죽놀이를 한다지
풍등에 유골 가루를 넣어 날려 보내는 곳도 있어

좋은 곳으로 갔을 거야

닭을 먹으며 닭을 생각해서는 안 된다

잡지와 문학과 세간에 떠도는 불행에 대해
더 넣으면 짜

너는 내게 소금 통을 당겨 준다

파리가 젓가락에 붙었다 날아간다
무슨 영혼이라는 듯이

서로 내겠다고 신발을 접어 신고
계산대로 달려가지 않았지만

우리 곁에 잠시
녹는 것 같다 밍밍해서
뭔가 더 넣고 싶어지는 것들과

얼룩덜룩

자기야 내가 꿈을 꿨어 낭독회를 하는데 김희준 시인
과 내가 낭독자래 김희준 시인은 등받이 의자에 앉아
있는데 예전하고 똑같더라 옷도 이쁘고 얼굴도 참 이뻐
자기야 내가 죽었는데 다시 살아났어 정말 똑같은 모습
으로 물에 떠내려가다가 물 밖으로 걸어 나왔어 나 혼
자 살아 나왔어 내가 장난으로 물었잖아 나하고 애들
이 물에 빠지면 누굴 구할 거냐고 웃기지 철학관 여자
는 내가 하루 빨리 태어났으면 더 좋았을 거래 하루가
모자라 언니가 죽고 내가 되었다는데 그 언니를 만났어
사랑과 전쟁 같은데 조연으로 나오는 배우야 김하―뭐
라는 배운데 얼굴은 알겠는데 이름이 생각 안 나네 자기
야 내가 짐승이었다가 사람이었다가 네 발로 걷다가 두
발로 걷다가 이상하지 내가 두 발이었을 때는 두 발은
어디다 버렸을까 너무 생생하니까 생각이 안 나 여기가
아직 꿈이라서 그런가 자기 생각은 어때? 두 발을 내게
내밀며 골프채를 매고 나가네 골프채는 내가 벗어 놓은
뼈다귀 같아 잘 치고 와 내 걱정은 말고 물속에 공 너무
많이 빠뜨리지 말고 그걸 주워 먹고 오리들이 배가 불

러 올까 걱정돼 멀리는 못 나가 지금은 얼룩말인 거 같
아 근데 자기야 자긴 나 알아?

한 다발

대각선으로 짧게 자르세요
꽃집 점원은 한 다발의 꽃을
내게 안기며 당부한다

목이 좁은 꽃병은 한 다발이 버거웠지만

그래서 불안
아름다운 물관
당신과
금붕어를 동시에 키우고 싶었나 봐

왜 자꾸 뻐끔뻐끔
숨이 찰까

오래가요?
오래가요!
질문과 답이 한 종이에 있는 오픈 북 시험처럼

처음 금붕어란 이름의 금붕어를 찾아 서로의 무늬를
지우면 더 오래 헤엄칠 수 있었을까?

우리가 함께라면

서로의 무늬로
비스듬히 어깨를 기대도 좋았을 거야

끝끝내 우리는 서로를 알 수 없어
뿌옇게 흐려질 수 있었다

어항도 되고 꽃병도 되는
이곳에서는
모두가 한순간이라고 말한다

요가 강습

구겨진 몸을 펴
한 글자씩 읽어 보려면
힘을 더 빼야 한다

다리에서 기분이 뻗어 나오게 하려고
구겼다 폈다를 반복했다

직립이 인류의 발명품이라면
지옥은 덤이니까

들숨과 날숨은
나를 통과하는 동안에도 뒤엉킨다

이상하기도 하지 가벼운 구름들같이
서로를 통과해 가는*

바로 옆 매트에 누가 있는지
누가 사라지는지

내 기분을 살피느라 숨이 찼다

모두 다 얘기해 줄게
나중에 만나면

몸을 떠난 마음이 멀리 가지 못하고
마음이 떠난 동작은 달리 뾰족한 수가 없다

끊어지지 않게
일정하게 숨을 참으면
모두가 괜찮아질 거야

* 기형도, 「어느 푸른 저녁」

죽자고 달려드는 바람에

남자가 한 시간째 저러고 있다
경비원이 달려오고
사람들이 저러고 있는 남자를 곁눈질로 지나간다
차 문을 열고 비켜요, 소리치는 주민도
경찰을 부르겠다는 사람도 주민이다

구경났어! 구경났냐고— 저러는 남자는 불쾌한 얼굴로
지나가는 이웃에게 소리를 지른다
벚나무 아래 돗자리 깔고
마늘을 까거나 시간을 까먹던 노인들 오늘은 보이지
않는다
저러는 남자는 털썩 주저앉아
미아야 미아야— 너가 그러면 안 돼
집에 가자—
드르륵 창문 여는 소리가 나지만 미아는 아니다

구경하는 집은
구경이 끝나면 집을 뭉갠다

저러고 있는 남자가 잃어버린 것
찾는다고 돌아갈 수 있을까 미아를 찾아 돌아갈 곳이
안락한 의자와 둥근 테이블이 있는 곳이면 좋겠다
벚꽃을 가득 매단 벚나무
죽자 살자 달려드는 바람에 후두둑 후두둑
떨어지는 한낮이었다

이브

철학관을 나오는 여자의 뒷모습 같은
아침

창문을 열자
새들이 항로에서 벗어나

손바닥으로 가리면

사라지거나
말라 간다

허브에 너무 많은 물을 줘서 죽인 적 있다

새들이 창문을 벗어나려고
창문 밖으로 발목을 던지고 있다

북쪽으로 머리를 두고 자면 안 돼
잠의 이동 방향을 바꾸면

내일은 달라질까

안경알에 찍힌 지문을 닦으면
지난 일이 선명해져
새들의 배를 올려다본다

대열에서 흩어진 새들은
길고 무거운 침묵으로 말한다

허브 위에
물을 붓는다

나는 말라 간다
나는 날고 있다

왼쪽으로 돌아누워 자면 섬이 나와요

어깨가 아프니까 어깨가 깨어났다

시소에 아이들이 두 다리를 동당거리며
앉아 있다 시소가 무게를 벗어나면 시소는 조금 가벼
워질까

에베레스트 셰르파들이 어깨에 짐을 운반할 때
그들은 잠시 어깨에 천사가 있다고 믿는다

누구나 한번은 어깨를 기대거나
내준 적 있다 빌려준 어깨에 기대면
조금 가벼워진다

어깨 위에는 천사이거나 유령이거나

나를 누르는 건 나여서

어디 아파? 물어봐 주는 것만으로

잠시나마 어깨가 사라진다

어깨에 어깨를 걸면 조금 더 걸을 수 있다
잘 믿는 습관은 자주 우는 법을 알려 준다

영원이다 싶지만 꼭 그런 건 아니라서

꽤 가깝게 지냈죠
립스틱 자국 묻은 컵을 아무렇지 않게 같이 쓰던 사
람과
가까운 건 원래 잘 안 보여
매일 웃었어요
영원하면 좋겠다 싶죠
쉬운 길은 망하는 길이라
손잡이는 하나인데
손은 둘이니까 자꾸 헷갈려요

밀어야 하는데
당겨
문 앞에서 웃었어요
사랑 때문에 사랑하는 건지
컵이 있어 손이 필요한 건지 알 수 없어 좋았어요
컵은 위에서 보면 우물 같고
옆에서 보면 대문 같아요
보는 대로 보이니까 환상이에요

컵은 컵을 왼손은 왼손을 그릴 수 없어요

좋은 날 보자는 말은 인사일까요

약속일까요

깨지고 나면

진심으로 진실에 가 닿기도 해요

돌멩이가 되기로 했다

언제부터 여기 있었는지 모르죠
철 지난 외투 주머니 속에

몰라서 참 좋은 건 연애지만요
알고 나면 거기서 거기라
그닥 좋아하는 노래는 아니에요

맥주를 마시고
혼자 밤길을 걷는 걸 좋아하게 됐어요
비판이든 비난이든 말장난이죠

극장 안에서 앞사람의 의자를
툭툭 차는 건 실례예요

섬세하지 못한 기분을 삼키게 되거든요

주머니에서의 일은 캄캄했지만
혼자가 얼마 만인지 몰라요

밤은 해변에서 솔직해져 몸을 구겨 키스를 나누고
웃으며 왔던 애인들이 두고 볼 거야 쌍년아
욕을 하며 떠나기도 해요
깨진 소주병은 모래 속에 숨어
연한 발바닥만을 노리죠

그곳을 멀리 떠나왔는데
잠결에
"응응 그래서?" 물으면
다른 사람 꿈을 따라 꾸는 것 같아요

기분 전환으로 바다를 찾는 사람들은
상쾌한 기분을 찾아 돌아가요
그때 슬쩍 주머니에 넣어 온 기분이에요
마음이 없는 건 아니지만
주지는 않아요

타인의 삶

22만 원이야 지금 입금할 수 있지?
왜? 회원 가입은 싫어
회원 가입도 해.

여자는 마주한 남자의 커피가 식기 전에
하고 싶어 한다

내 얼굴 봐 예전보다 많이 좋아진 것 같지?
송정으로 고기 먹으러 갈래
왜? 나랑 둘이는 싫어! 경순이 알지
경순이 불러낼까?

여자는 남자의 무엇을 돌리고 싶은 걸까
남자의 무엇이 여자를 돌려놓고 있는 걸까

내 귀에 대고

여자는 목소리를 고르고 있고

남자는 목소리를 감추고 있다

나는 그들의 대화를 주워 모닥불을 피운다
그 곁에 손을 쬐고

너 지금 내 얘기 쓰고 있지!

그들이 저벅저벅 내 시 속으로 걸어와
뺨을 후려친다

모닥불을 발로 찬다 타닥타닥

바보야 이건 네 얘기야
반대편 테이블에서 누군가
내 얘기를 쓰고 있다

작별 인사는 짧게

모르는 사람을 보러 가요
모르는 건 좋은 거니까요
슬픈 건 아니에요
모르는 거니까요
죽으러 가는 사람이 산 사람에게
안부와 당부
그때는 몰랐는데 나중 보면
그게 그 말일 때 있잖아요

모르는 사람을 만나러 가요
해가 지면 해가 따갑다는 생각을 잊어요
밤에는 추울 거니까 스웨터를 꺼내 입어요
안심하라는 뜻이에요
우리는 없어도 있는 듯
사라질 거리를 걸을 거니까요
미처 못 한 말은 정리되는 대로 할게요
침대보를 당겨 반듯하게 정리해요
좋은 곳에서 또 기회가 된다면

만나고 싶어요

지금은 모르는 사람을 만나러 가는 길이에요
모르는 건 무책임한 게 아니니까요
전기장판에 코드는 뺐고요
스투키에 물을 듬뿍 준 게 마음에 걸리네요
모르는 거니까요

모르는 건 안전하고
모르는 동안 우린 즐거워요
모르면 용서도 쉽게 할 수 있으니까요

검은 양복
일렬로 앉아 육개장을 먹고
갈 사람은 어서 가야지
손을 맞잡아요

겨울 호수

눈 뭉치를 던지며
서로의 등을
따라 뛰었어요

멀리서 보면 비극도 아름다워 보이죠
호수에 나타난다는 괴생물도 알고 보면
호수가 만들어 내는 환상이니까요

돌멩이를 삼킨 호수는 발을 꽝꽝 굴려도
돌멩이를 뱉지 않아요

금방 녹지 않을 거야
한동안은 따라 뛸 수 있겠지

손을 호호 불면
입김도 환한 무늬가 되는데

우리는 참 오래도록

눈먼 물고기가 되어 헤엄치겠네

꽝꽝 언 호수 밑에
빙어들에게도 호수는 거대한 환상이겠네

멀리서 바라보는 사람들이
좋을 때는 오늘이라고

웃으며 지나가면 겨울이 끝나겠네

텐트

캔커피 두 개를 내밀며
좀 시끄러울 거라고
미안하다고 한다

마주한 가벽에 선반을 달고
와이파이를 설치하고
뼈가 휜 책상을 넣는다

아이들은 벽을 보고 앉아
한 광주리에 담긴 사과처럼
정물이 될 것이다
관리비 청구서나 학원 연합회 모임에 대해서
묻지 않을 것이다

여름 저녁 편의점 파라솔 아래 캔맥주를
나눠 마시지 않을 것이다
언니 동생이 되지 않을 것이다

인사는 나눴지만

벽을 같이 쓴다는 이유만으로 친해지지 않는다

불투명 시트지로 꼼꼼하게 안과 밖을 구분한다
나는 밖에서
당신은 안에서 잘 웃는다

아는 구관조

새장을 그리고 구관조를 넣었다
구관조는 새장이 마음에 든다

일 밀리씩 면도칼로 창살을 자르면 언제쯤 밖으로 나
갈 수 있을까

새장 속 구관조는 노래만큼 불필요한 게
칼이겠지

엄마도 자주 칼을 갈았다
사과를 칼로 찍어 먹었다
입천장에 칼이 통과하는 악몽을 꿨다

바람 쐬자
바람은 여기도 있어
밖으로 나가려 하지 않으면
밖은 필요 없다

자유는 자유로운 것들을 생각하지 않는다
구관조와 엄마는 식탁을 새장이라 말하지 않는다

어항을 그리고 금붕어를 그린다
금붕어는 금세 어항을 이해한다
구관조는 나를 이해한다
나는 엄마를 이해하지 못한다

새장은 새를 지우고 없는데
날아가지 않는다

유리병 유희

나의 유리병은 숨기엔 비좁고 감추기엔 적당해서
안에서 볼 때는 장난 같고 밖에서 볼 때는 선물 같아

우리 집 고양이가 제 얼굴을 비춰 보고
안에 든 얼굴을 꺼내 먹고 싶어
앞발로 굴려

유리병 속 사탕은 오래 썩지 않는
달콤한 마음이 되겠지
쓴 약을 넣어 뒀다면 죽음은 가까웠겠지

유리병에 초파리를 키운다면
하루살이에 대한 관찰일지를 썼을 테고

사탕의 점성이나 당도에 대해
말하고 싶은 입과 말해지는 입에 대해
침묵 속에서 무해한 날들에 대해

발에 밟히는 것과 밟는 것은 어떻게 다를까
한낮의 곤궁을 저 사탕은 만회할 수 있을까

내가 어디로 가고 싶은가에 달렸다면

초파리에 대해
계속 이야기하고 싶어진다

앞발로 유리병을 굴리며
장난처럼

고양이가 내 빈 손바닥을 핥는다

열 개의 심장

멀리 보세요
심장이 쿵쿵 볼링 레인을 타고 굴러온다

최선을 다해

손이 있다는 걸 보여 주기 위해
악수를 하자

각자 공을 들고 각자의 무게를 나누며

굴러가자

툭 건드리기만 하면 쓰러질 것처럼

열 개의 핀을 향해
단단한 심장이 필요해

여분의 믿음으로

오늘도
하이파이브

2부

후 불면 꺼질 것처럼 환한

하나를 알면 둘이 잊혀서

오후에는 구름의 인상을 살피며 걸었다
준비된 비가 구름을 찢고 떨어질 때
두 손밖에 없다면
누군가의 우산 속으로 뛰어드는 상상은
용기와 비슷해 조금 웃을 수 있다

내가 이렇게 즐거운 상상으로
기뻐할 때

블라우스 단추가 떨어졌다 언제부터
제 몸을 풀고 있었는지 모르겠다

내게 글쓰기를 배우는 학생은
알약을 모았다고 했다
누가 연습으로 손목을 그어요
내게 줄 그은 손목을 보여 줬다

조금 더 견디지 그랬니?

모르고 한 말이었다

끝까지 갈 데까지 간 거
그 사람이 아니면
알 수 없는 다짐

서로가 결심을 유보하며
일단 걷는 데까지 걸어 보자고
말하고 싶었다

둥근 테이블에 앉아
잠시 우리가 마주 봤다면
한동안 거기 있어 달라고 부탁하고 싶었다

이마를 짚으며
서로 겹치지 않게 나란할 수 있었다

후두둑 비가 떨어지면 편의점 주인은

빠른 걸음으로 달려와 파라솔을 접는다

그 안에 진실이 있다는 듯이

호흡법

수영을 배우면서
물고기와 친해질 수 없다는 걸 알았다

침묵하는 것과 숨을 참는 것을 구분하지 못했다

문턱까지 참았다 가슴을 여는 데
그게 도움이 됐으니까

맥줏집에서 그들은 즐거워 보였다
둥근 테이블 덕분에

나는 있으면서도 없는 호흡법을
배우는 중이었고 물속에서 만난 사람을
물 밖에서는 만나지 못했다

아무래도

떠오르지 않았다 끝내 나는 나를 떠올리는 데 실패

했다

　나는 어디에도
　누구에게도 없는

　물 밑으로 조용히 가라앉는
　침묵 속에서만 가능한
　호흡법을 배우는 중이다

알로하 아로마

입고 온 옷을 벗어 놓으면 입을 옷을 준다
그것만으로 가벼워져

반듯이 누우면
짧은 마음 하나가 생긴다

타이 마사지사는 정말 타이에서 온 걸까
금방 올게 공부 잘하고 있어
두고 온 아이들이 있을까
남편을 두고 애인을 새로 사귈까

어색한 발음으로
아파요? 물어 올 때
나는 꼭 우리말로 괜찮아요
대답한다 힘 빼요

뭉친 마음은 예고 없이 반쯤 비틀렸다가
돌아온다

그녀와 내가 서로 믿을 수 있어
오랜만에 단순해진다

그녀는 돈을 벌어 양반김이나 부각을 사서
고향으로 보낼지 모른다 때가 되면
자기 나라 말을 실컷 할 수 있는 곳으로 떠나겠지
손에 꽃을 달고 끌렁야우를 추겠지

나는 또 다른 마사지사에게 목을 맡기고
그녀가 내 어깨에 아로마 오일을 가득 바를 때
손가락에 붙인 밴드를 본다면 아파요 먼저 물어야지

타이에서 우연히 그녀를 만나면
두 손을 모으고
잘 지내셨지요 인사를 해야지

조경

스투키를 심었던 화분에 바질을 심었다
화분의 입장에서 보면 끝없는 노동
물을 주는 주기와 흙의 마른 정도만 다른

내가 좋아하는 건 나를 좋아하지 않았다
내가 좋다고 한 사람들은
가족사진을 사무실 책상 위에 올려놓은 사람과
피자를 처음 먹어 봤다며 피자집에서 우는 사람뿐이
었다

아파트 화단에 심은 꽃나무들이 죽으면
3년까지는 새로 심어 준대
친구는 조경하는 애인한테 들었다고 한다

좋든 싫든
죽을 각오로 사는 거
유효 기간을 지날 때까지는 어떻게든 버텨 내는 거

바질은 허리가 큰 바지를 입은 것처럼 커진 화분에
담겨
죽지 않으려고 안간힘으로
물을 받아 먹는다
나는 수도꼭지에서 똑똑 떨어지는 물방울을 본다
입을 아― 벌린다

알

냉장고에는 계란이 한 알 들어 있다
계란은 춥고 외롭다
한 알 한 알 꺼내는 손을 피해
혼자 남게 된 것이다

여고 때 선생은 한 줄로 세워 놓고
손등을 때렸다
마지막 남은 손등은
한 발씩 다가오는 공포를 견뎌야 했다
나는 마지막으로 손등을 내밀었다
줄을 설 때마다
먼저 맞는 게 정말 나은지는 알 수 없었지만
무모한 용기가 생겨나기도 했다

토종닭 백숙으로 유명한 식당은 손님이 오면
보는 데서 닭장에 손을 넣어 닭을 꺼내 온다
횃대를 옮겨 다니며 꼬꼬댁 도망쳐도
한 마리는 손아귀에 잡혀 끌려 나온다

금방까지 살아 모이를 쪼아 먹었다는 게
믿기지 않는다 평상에 앉아 땀을 뻘뻘 흘리며
닭날개를 뜯는 사람들을 보면 가만있어도 땀이 난다

남겨진 닭들과
끌려 나오는 닭의 심정으로
냉장고 속에 남은 마지막 달걀을 손에 쥐고만 있다
손등이 따끔거렸다

울고 싶을 때는 고양이 가면을 써*

회색 고양이가
내 지근거리에 누워 있다
차에 부딪혔는지
회색 고양이는 어깨를 부여잡고
절뚝이며 걸어간다
사람 같다 사람 같아서 마음이
아팠다 내가 아파 본 거라
뭔지 알 것 같았다
회색 고양이가 사람처럼 보여
사람이라도 믿을 거 같아
이름을 불러 주었다
울고 싶을 땐 고양이 가면을 써
내가 아픈 어깨를 부여잡고
집으로 돌아올 때
담요를 끌어 덮어 주고
털을 쓰다듬으며 아프냐고 물어봐 주면 좋겠다
회색 고양이가 나를 힐끔 보며
인간들은 아무 때나 연민을 보낸다니까

난 이래서 인간이 싫어

회색 고양이는

창문 아래로 빠져나가 담장 위로 훌쩍 뛰어오른다

*일본 애니메이션

피어라 새소리

언니, 아침이면 여긴 새소리가 피어나
가지마다 날개가 피어나

나뭇가지에 앉은 새 떼가 잠을 다 깨운다지만
시끄럽지 않다면 꽃을 피우지 못하겠지

죽자 살자 피어나는
아침을 누가 막을까
뜬눈으로 밤을 새운 사람은 수도꼭지에 떨어지는 물
소리로도
눈이 파여

일제히 궐기하듯 피어나는 새소리
숨을 참기는 힘들 거야

언니, 저 새들도
무릎을 굽히고 심장을 쓸어내릴까

난간에 매달린
새의 발목을 끌어안고 떨어지지 말라고
말해 주고 싶어

아침 공기는 더 팽팽해지고
미래는 불투명 유리처럼 반짝이겠지
누가 한쪽에서 놓으면 탕—
우르르 쏟아지는 양떼구름

언니, 새들이 피어나는 가지를 꺾어
푸른 잎 돋아나면 안부라 여길게

지지 않고 지치지 않고
피어나고 피어나

여긴 모두 괜찮아

가벼운

머리를 집에 두고 나왔어요
팔목을 두고 온 것도 아닌데 손이 허전하네요

나는 '너무'라는 말을 자주 써서
지쳐요 지쳐 가요 머리가 없으니

현기증도 없어졌어요 뻑뻑한 눈알도
키스할 입술도 없어
참 좋구나 나도 이렇게 홀가분해지는구나!

열심히 말고 그냥 하면 되는데
자꾸 주먹이 쥐어져요

내 앞으로 축구공이 혼자 통통 굴러와요
공에 재미있고 웃긴 얼굴을 그려 주며
나 대신 살아 보라고 말해 주고 싶어요

머리가 없으니 무서울 때마다 눈을 깜박일 필요도

눈물부터 쏟을 일은 없으니까

공중에서 벽돌 한 장이 떨어져도
깨질 머리가 없으니

머리 쓰지 마세요

비가 쏟아지자
두 손을 머리 위로 받치고 지하도로 뛰어가요
젖는 것도 아닌데

파도의 기분

바다에서는
누구나 웅크리는 법을 알게 된다

고기잡이배들이 해안선을 그렸다가 지운다
　해변에 오면 사람들은 신발을 벗어 들 준비가 되어 있
다 벗어 둔 신발이 사라지기 전까지는 신발을 생각하지
않는다

　수평선은 수평선에게
　파도는 파도의 기분으로
　나를 밀어내고 있었다 밀려가고 있었다

　모래처럼 부서진 기분을 뭉쳐 파도에게 주었다
　웅크린 몸을 펴
　벗어 둔 신발을 집어 들면
　맞잡은 두 손에도 계절감 같은 게 느껴지기도 했다

　그런대로 괜찮다

바다에서 돌아와 바짓단을 펴면

아는 낱말의 수만큼 밤이 되겠지

파도가 내게 모래를 한 움큼 넣어 주었다

스탠드를 밤새 켜 놓고

기차를 탔어 잠들지 못하는 기차였어 잠이 들면 못
깨는 기차 교복 입은 학생도 노인도 탔네 흰 머리칼을
수초처럼 늘어뜨린 노인은 내 앞자리에 앉아 계속 자

터널 밖에는 흰빛이 기다리고 잠들면 영영 못 깰까
봐 쿵쿵 머리를 부딪혔지

복사꽃도 피고 산수유도 폈어 봄인가 커튼을 열어도
밖은 캄캄해 저승사자는 가장 잘 아는 얼굴로 온대 교
복 입은 언니나 할머니로 오면 좋겠어 손을 잡으면 여행
같을 거야 기찻길 옆 코스모스는 기침이 멎지 않는 병
에 걸렸나 봐 기차 소리에 섞여 사랑한다는 말도 보고
싶다는 말도 입만 벙긋하겠지

묻히는 건 지우는 것과 달라 묻고 묻어도 언젠가 찾
아내는 손가락뼈 같은 거야 이를 악물어도 꿈에서는 소
용없어

좋은 꿈인지 악몽인지는 꾸는 사람만 알잖아 물이 가득 찬 기차 안으로 튜브도 밧줄도 던져 줄 수 없어 두 눈을 멀겋게 뜨고도 앞이 보이지 않는 기차였어 저쪽에서 환한 빛이 쏟아져 그걸 보고 달렸어 누가 날 위해 밤새 끄지 않는 스탠드가 있나 봐

한밤의 미술관

미술관에 갔다
두 발로 서서
외눈박이 검은 개가
내게 총을 겨누는 그림이었다
그 아래는
"행복한 시간 되세요"
라고 적혀 있었다

넘지 말라는 선을 넘었다

그림에서
개들이 뛰쳐나와
이빨을 으르렁거리며
나를 밧줄로 묶어
그림 속으로 끌고 들어갔다

네 개의 발
네 개의 눈

내게 총을 겨누었다

목줄에 매인 내가 꼼짝없이 말뚝에 묶여
"행복한 시간 되세요" 외쳤다
팻말 앞에 한 아이가 서서
나를 빤히 들여다보고 있었다
눈꺼풀을 부릅떴다
다리가 저려 왔지만
나는 그림이니까 그림인 척해야 했다
검은 개가 으르렁거려
그림 밖으로 나갈 수 없었다

개를 훔치는 유일한 방법

챙모자를 쓴 여자가 개를 끌고 간다
개가 여자를 끌고 간다

길이 생각하는 것과
내가 생각하는 것은 다를 수 있다

편지에 적지 못했던 말은
꿈속에서도 적지 못한다

적으려고 했던 말과
목줄을 생각한다
목줄과 나 사이는 생각보다 가깝다

이 길은 길의 어디쯤일까
어디쯤이면 이 개 같은 걸 놓아 버릴 수 있을까

개는 나를 어디에 버릴까 궁리하느라
끊임없이 킁킁 냄새를 맡는다

내가 훔치려 하지 않으면

개는 어디에도 없고 해치지 않는다

생각보다 가까운 곳에서 놓아줄 수도 있다

너무도 한가한 송추 계곡의 추억

특별한 종교 있어요?
특별한 종교는 없고 성당에 다녀요
종교가 어떻게 특별할 수 있냐고 그가 웃었다
나도 따라 웃었다

일행은 송추 계곡으로 걸어가며
특별한 걸 찍겠다고 열심히 같은 곳을 찍었다

사촌은 세 번 결혼했고
그때마다 같은 코스로 신혼여행을 다녔다

가족은
모임 때마다 같은 애길 하며
처음 듣는 것처럼 웃을 수 있어야 한다

가족도 있고 가족적 분위기도 있지
어깨에 손을 올리며
친해지자고

널 위해 특별히 준비했어
기대하지 않으면 모든 게 특별한

케이크와 칼

우리 사이를 지나가고 있었다
베이지도 않고 달콤하지도 않은
특별한 날이었다

일행은 한 줄로 나란히 서서
자! 찍어요. 소리에 맞춰
후 불면 꺼질 것처럼 환한 웃음을 지었다

그러니까 나이지리아

길게 줄지어 있었다
게이트마다 사람들이 티셔츠를
똑같이 맞춰 입고

가방을 뒤집어 흔들어도 탑승권은 없었다 재발급을
받으려면 길 건너 25번 게이트로 가라는데 나는 분명 여
기서 누굴 만나기로 했는데 그게 누구인지는 기억안 나
　　바퀴 빠진 캐리어를 끌고

진흙 더미를 넘어 25번 게이트로 갔을 때, 허수경 시인
아니세요? 고고학을 연구한다고 들었어요. 그나저나 얼
마 전에 부고 소식을 들은 것 같은데

잠깐 아이들만 태워 주고 올게요 여기서 기다려요 요
즘은 나이지리아보다
　　케냐나 에티오피아가 좋대요. 야자나무 아래 개미처
럼 모여 있는 아이들을
　　꾹꾹 밟는 천사가 있는 곳이죠 허수경 시인은 트럭을

몰고 사라졌다

　맞아! 어쩜 얼룩말을 보기엔 거기가 나을지 몰라 내
가 보려던 게 얼룩말이었는지 아이들이었는지 기억나
지 않지만 메뚜기만 한 모기가 팔뚝과 종아리를 물어뜯
는 김포공항에 난데없이 폭설이라니

　길고 긴 활주로 위로 나이지리아 간다는 비행기는
　폭설로 착륙을 못 한다고 하고

　결국 나이지리아 나이지리아
　고물 라디오에서 지지지직직 노래가 흘러나왔다 이
런 걸 두고 한낮 개꿈이라고 하지 눈을 뜨려다 말고

　거기나 여기나 진흙탕 싸움
　지구본을 빙 돌려 손 뺨을 대 보면

　바깥에 꽃이 환하고 풀 냄새 아득하니

바람도 청량한 김에 잊어버린다*

그러니까 나이지리아 나이지리아
혼자 중얼거리다 차라리 눈을 뜨지 않기로 한다

* 허수경 산문집에서 빌려 옴

망원

하나는 둘로 갈라진다
갈라진 표정 사이로 언뜻 내가 보인다
지하철 의자는 마주 보고 있다
검은 비닐봉지를 열 듯

넘어졌어 대신 자빠졌어 하면
다른 표정이 생긴다 흠흠 헛기침을 하며
말을 시작하는 사람의 표정도 조금은 알 것 같다
슬픈 표정을 애써 웃는 표정으로 바꾸지만
무슨 일 있어, 물어 올 때
입김을 불어 내 표정을 닦는다

가장 먼저 눈치챈 건 밤이었다
뒤척이는 내 이마를 짚는 빗소리

빗물이 흘러도 유리창이 사라지지 않듯
얼굴을 씻어도 표정은 쉽게 사라지지 않는다

지하철 유리문 가득 달라붙은 표정
문이 열리자 우르르 쏟아진다
무표정도 표정이어서
내가 죽은 뒤에도 표정은 나보다 멀리 갔다가
막차를 타고 돌아온다

다음 역은 망원역입니다
나는 우산을 챙겨 든다

3부

축축한 웃음 괜찮습니다

조용한 세계

개가 짖는다
목소리가 어디서 나오는지 보려고
늦은 밤이었다

창문마다 머리통이 나와 어디서 개가
짖는지 찾는다 두리번거린다

불빛이 있는 곳은 위험해 창문마다 커튼이 있다

서로를 모르고 지내는 건
얼마나 안전한가

침을 뱉거나 창문을 드르륵 닫을 수 있다
개가 짖지 않는다

개가 어디 있는지 보려고 불을 끈다
그래야 초를 켤 수 있는 것처럼

각자 누워 개를 생각한다
너는 너의 개를
나는 나의 개를 떠올린다

피차, 라는 말은 누구 쪽에 가까운 말일까

팔을 베고 누우면
옆으로 쏟아지는 기분

각자 생각하는 개의 모습은 다르다
머리로 그려 보는 것이 개가 된다

보이지 않는 개가 짖는다
보일 때까지 짖는다

자전적 소설을 읽는 밤

어릴 때부터 묘지는 놀이터였죠
묘지는 우리 집보다 깨끗했으니까요

그 안에 누가 있다고 생각한 적 없었는데
지나가던 아저씨가 남의 머리 위에서 뭐 하냐
소리칠 때 둥근 무덤 아래 누가 있었구나!

죽은 사람들과 친하게 지내서인지
싹수가 노랗게 변했어요
일기는 언제 읽어 봐도 내가 쓴 거 같지 않았고요

저울질할 마음을 만들어 놓고 밤도 잘 뒤척이고
이 사람 저 사람 한꺼번에 돌본다고 애도 많이 썼죠

왜 그랬지 몰라요
태어나길 그런 거지 특별한 뜻은 없어요

사람들은 저보고 잘 웃고 상냥하대요

곱게 자란 사람처럼 보이고 싶었거든요

손바닥을 뒤집으면 운명선이 나뭇잎처럼 흔들려
걱정을 수북 매달고 살지만 내가 제격이다 싶은 건

묘지 관리인이에요
죽은 사람들은 묘한 데가 있거든요
상처를 잘 받지 않고
비밀을 발설하지 않잖아요

죽은 사람들과
어울리기 좋아서 매일 찾아갔어요

묘지는 산 사람들을 잘 이해하기 위해
파릇파릇한 잔디를 깔아 놓았거든요

싹수가 노랗다는 말

개와 마주쳤다
크리스마스 때 엄마가 내 머리맡에 둔 인형 같구나

호두야, 호두야 너 호두 아니니?
넌 얼마 전에 죽었잖아?

너무 꼭꼭 싸서
잡아 뜯어야 하는 선물처럼
호두가 내 팔을 물어뜯었지

경비실에서 삽을 빌려 와 널 묻어 줬잖아
종이 상자에 넣어
기억 안 나?

솔기가 터져 너덜너덜해진 나도
괜찮다면 가질래?

개는 유유히 바닥을 핥으며

살얼음 낀 하수구 속으로 사라졌다

맛없는 플라스틱을 뜯은 표정으로

계속 울었지만 계속 눈물이 나지는 않았다
옆구리에서 누런 싹이 돋아나고 있었다

나는 회색입니다

밤에 자르는 손톱은 멀리 떨어집니다
별의 모서리가 떨어지면
별의 속도는 우리의 슬픔보다 빠르게 떨어집니까

나를 생각하는 당신의 마음이 읽고 싶어집니다
풍경 밖으로 하나의 장면
아픈 아이를 두고 집을 나서던 당신도
이제 조금 덜 아팠으면

내 생일만 되면 아랫배가 팽팽해진다는 당신,
죽는 꿈을 꿨다며 내 등을 그러안고
우는 당신

새벽에 일어나 미역을 불리고 쌀을 안칩니다
손등 위 조금 높게 떠올랐다 사라지는
당신은 거기서 나는 여기서

물병을 든 모습입니까

손톱이 자라 별의 모서리가 됩니까
손톱은 얼마나 많이 할퀴고야
죽은 자들의 손에서도 자랄 수 있습니까

새들의 머리가 둥근 까닭은
우리가 한때, 머리를 마주한 적이 있었으니까요
식탁 모서리를 닦으며
우리의 말은 잘 떨어지지 않습니다

다음 호

옛 주소로 우편물이 간다
나는 걸어서 이제는 남의 집이 된 은색 우편함을 열고
시인동네나 어린이 책 이야기를 꺼내 온다

주소가 바뀌었습니다
전화를 해야지

자리 있어요? 물어 올 때처럼
자?
문자가 온다
응, 하고
답을 하면 안 자는 게 되고
아니, 해도 똑같은

이제 그곳은 다른 사람의 소파와
침대가 있다
화분 있던 곳에 어항이 놓여 있을지 모른다

내가 걸어서 꺼내 갈 때까지
여기 없어요 살지 않아요 우편물이 쌓인다
마음을 다해 걷던 그곳을 나는 산책이라 부르고
너는 그냥이라 한다

주소를 불러 준다
다음 호부터는 그리로 보내겠다 한다

내가 사라진 다음 호에는
모르는 당신이 나처럼 산다

축축한 웃음 괜찮습니다

대리운전 문자 메시지가 뜬다
안전하게 데려다주겠다고, 행복한 밤이 되라고도 한다

오늘은 필요치 않냐고 묻는다

나는 조금 괜찮아졌어요 오늘은 술을 마시지 않았어요
엄마에게 전화를 걸면 나를 "누구세요?"로 부르고
징징 울며 내 팔을 잡아끄는 아이를 떼어 놓았고요
타일은 누렇게 변해 가요
푹푹 삶은 수건은
수건에서 얼굴로 색을 마구 옮겨요
그래서 표정이 자꾸 칙칙해지나 봐요
세탁기 속에서 뒤엉킨 채 말라 가는 미래도 있지만요
거의 아무 일도 일어나지 않는
완전무결한 날이에요

그래도 문자 주셔서 감사해요……여기까지 문자를 찍
다가

……지워 나간다

오늘 모임

밖으로 나와 있으면
창 안에 사람들이 보인다

한번 뭉치자는 사람은 오지 않았고
어묵탕 속 어묵은 식은 낮달처럼 흐물거렸다

이 집은 파전에 오징어를 많이 넣어
기름에 튀긴 것 같지?

파전을 헤집으며 각자 자기 얘길 하고
없는 사람 얘길 할 때
우리는 왜 더 가까워 보일까 둥근 테이블 밖으로
서로를 건져 내며

더 좋은 날이 되자고 술잔을 부딪혔지만
진짜로 그런 마음이 생겨나기도 했다

씹히지 않는 생낙지를 몰래 뱉어

쓰레기통에 버린다

문득 바라본 창밖에 눈이 내리고
내린 눈은 쌓이지 않는다

뭉쳐지지 않는 눈발이
계속 쌓이고
쌓여서는 흩어진다

테이블 아래
각자의 발이 푹푹 빠지고

다 말하지 않아
다음에 또 볼 수 있었다
안전하게 헤어질 수 있었다

밤에게

〈발목〉그 어디쯤 가고 있어요 역에서 역으로 이어진 터널은 탯줄처럼 좁군요 터널을 지날 때마다 눈꺼풀을 들춰 보곤 해요 당신은 잠든 사이 내 팔뚝에 가는 핏줄 하나를 심었죠 그래서 불쑥불쑥 우울해지는 기분이 생겨났나 봐요 엄지와 검지 사이를 꾹꾹 누르면 걸렸던 게 내려가기도 한다는데

하루 늦게 태어났더라면 카드 점은 내 발목을 잡았어요 플랫폼은 플라스틱 벤치처럼 쓸쓸해 이번 여행이 끝나면 흩어지는 먼지를 끌어모아 새로운 실패를 만들어 볼까요

너만 아니었으면 하는 당신의 후회인지 질투인지를 듣고 잠들면 물속에 빠져 허우적거리는 꿈을 꾸었죠 눈병이 걸렸다는 핑계를 대고 영원히 눈을 지울까 봐요 나는 어디로 가는지 모르고

집에서 밤으로 당신을 찾으러 가요 밤에 탄 기차는

아침보다 일찍 도착해 나는 사라지고 내가 꾼 꿈들만
밤을 배회하겠죠 태백 문경 예천 이런 말들 사이

　　당신의 심장이 내 심장 곁에서 같은 박동으로 쏠리
고 당신이 울면서 뛰어오면 내 가슴이 얼마나 쿵쿵 무너
졌는지, 동쪽에서 귀인이 온대도 난 몰라요 나는 〈그냥〉
흘러갈 거예요

각자의 식빵

당신은 모르는 사람입니까
지하철 계단에서 종이백이 스쳤거나
떨어진 우산을 집어 주던 사람입니까
예천여고 나왔습니까? 예천에 살았습니다만
길 병원 로터리나 성심 빵집을 아시겠네요
당신은 모르는 사람입니까
그곳을 지나칠 때마다
정글짐을 훔쳐보곤 했습니다
그러나 나는 당신을 모릅니다
공군부대가 있었는데
군인들이 지프를 타고 가다
여고생들에게 손을 흔들었죠
군인의 목을 매단 미루나무가 손을 흔들던
그곳을 지날 때마다 머리칼이 쭈뼛쭈뼛 섰죠
모서리를 접어 한 면을 맞춰 놓고 보면
다른 모서리가 벗어나는
당신은 모르는 사람입니다
당신을 몰라서 피할 곳이 생깁니다

당신은 모르는 사람입니까

당신이 찾는 사람이 내가 맞습니까

모르는 사람을 붙잡고

오래 이야기를 했습니다

그나저나 당신은 누구시죠?

어디로 갈지 몰라 달팽이에 길을 물었어요

어제도 오늘도
한 줄도 쓰지 못한 잎사귀는 아무렇게 낡아 가요
초심이란 조바심과 같아서
돌아갈 수 없는 길을 부를 때 쓰는 말일까요

다른 잎들은
저 멀리까지 가 버렸는데

슬픔을 잘 적으면 잎맥처럼 반짝인다 문장을 보고
오늘은 어디든 가 보겠다 했지만

때마침 찾아간 병원은 임시휴일이고
어지러운 꿈은 나를 떠날 생각만 하죠

현수막은 한 줄로 말하는데
한 줄을 적었다 두 줄을 지우는 일
한여름에 눈사람을 굴리는 일
우산을 잃어버리고 우산 끝에 매달린 빗방울을 그리

워하는 일

　밤을 틈타 돋아나는 소름 같은 걸 적어 보고 싶었어요

　사람들은 내가 조급하게 흔들린다지만
　약봉지만 한 햇빛 따라 걷는 게 뭐 그리 대수겠어요

　발끝에 매달린 달팽이
　떨어뜨리지 않으려고 한 발을 들고 걷느라
　조그마한 그늘도 만들지 못했는걸요

　소멸을 불면으로 불러 보는 이런 밤에는
　붉은 눈알을 바닥으로 툭툭 던져 볼까 봐요

오늘 밤에는 새가 사람보다 많네

비밀이 많다는 건
잘 감춘다는 거죠 같은 말도 포장을 잘하는 재주는
어릴 때 얻은 병 때문인가 봐요
비린 걸 잘 못 먹고 두드러기가 자주 났거든요

사람들에게 늘 반짝이는 옆면만을 보여 주고 싶은데
통통 튄다는 말을 들었어요 등이 가려워요

착한 사람처럼 보이기 위해서
새들에게 목소리를 잘 다듬는 법도 배웠어요

우리 좋은 이야기만 해요 그러면 가깝지 않아도 돼요

깨질 일도 없고

쓰레기를 담으면 쓰레기통인데
꽃을 꽂아 두면 꽃병이 돼요

악몽을 자주 꾸는데
그럴 때면 절벽에서 만난 검은 염소를 떠올려요
난 절대 염소가 될 수 없다니

위로가 돼요

지금 친해지고 싶다는 뜻이에요
침묵을 건너뛰면 더 큰 침묵을 견디는 게
가장 큰 걸림돌이죠

그래서 이렇게 새를 많이 키우나 봐요

아무래도

새는 내가 아닌가 봐요

무지

무지는 내가 처음 기른 고양이
무지가 어디에 살다가 내게 오게 되었는지
알 수 없어서 기뻤어요

철학자 고양이 법학자 고양이 천문학자 고양이
책으로 성을 쌓아 앞발로 책을 핥으며
무지는 편파적으로 교양을 쌓고 쌓았죠

다행이잖아요 무지가 부를 축적했다면 부자 고양이
집사가 돼 시 같은 건 안 써도 되고
슬픔은 더더욱 불필요했을 테니까요

나는 나에 대해 가장 무지해서
노트에 무엇이든 쓸 수가 있었어요

나는 오랫동안 보통 사람 보통 국가를 꿈꾸며 보통의
연애를 읽으며
아는 것과 모르는 것 사이를 오갔어요

자기 안의 편을 두고
정의라고 하고 위선이라 하거든요

무지무지 사랑하면서도 이별을 목에 걸고
자기 안에 편을 만들어
살뜰히 챙기며 배척하는
전쟁은 얼마나 손쉬운 평화인지

그러고 보면 무지는 어떤 색도 받아들일 준비가
된 회색분자

지금 무지는 내 책상 밑에서 무지막지
회색 털을 고르고 있어요
어디를 가도 그게 그거라는 듯

호밀빵 굽는 시간

갈돌에 밀을 갈던 사람은
빵 굽는 사람을 상상하지 못했겠지
불을 발견한 사람이 화덕이 생겨날 걸 몰랐던 것처럼
화덕과 화장은 같은 용도였을지 몰라

끓고 있던
냄비 속 떨어진 나뭇잎이 차의 기원이라면

처음 빵을 만들어 봐야지 생각한 건 사람이었을까?

가루가 어떻게 뭉쳐져 점성이 생기는지
부풀어 오르기 위해 무엇을 넣어야 하는지
심장과 콩과 팥을 넣으면 어떤 맛이 날지

골똘하고 섬세한 손놀림으로 물을 부었다 밀을 넣었
다를
오가며
둥글고 부푼 감정을 계속 뭉치고 뭉쳤겠지

그것은 먹기 위해서가 아니야
진보를 꿈꾸는 자의 손이었고
땀을 뚝뚝 흘리며 숙성의 시간을 견디는 자의 것

개인의 실패든 역사의 실패든 무관하게
무엇이 무엇을 부풀게 하는지
계피와 술
눈과 눈물

가루를 치대다 눈물이 떨어져
눈물 젖은 빵을 먹게 된 것처럼

한 덩이로 뭉쳐져
질기고 딱딱한 우리의 매일매일이 생겨났을 테지

가지들

가지 말라고 해도 가지
가지가지마다 새들이 앉고
노래가 앉고 그 곁에 죽음이 앉지

가지는 가지일 뿐인데
가고 나면
지켜 주지 못했다며 안타까워하지

가지가지한다 퍼부어 놓고
미안하다면 다야?
사랑은 그래서 가지마다 새를
키우는 거야
아름다운 노래를 들려줄 것 같아서

슬픈 흉내를 내겠지
동정으로 따뜻해질 때까지

그러니 부러진 가지

썩은 가지
이번 생은 글렀어
넌 잘못 찾아든 거야

세상에 여린 가지들은
스스로 가지를 부러뜨리지
너무 어여쁘면 신도
시기와 질투의 단물을 빼먹고
유유히 떠나지

안전한 세계는 여자를 필요치 않아
가지를 그래 가지를
기어코 가고 마는 여린 나무들의 세계
용서를 무덤처럼
새처럼 노래하는 어여쁜 가지들의 세계

4부

말을 아끼면 비밀도 많아진다

천사

어느 날 천사가 찾아왔다 우리 집에서 가장 좋은 걸 내놓으라 했다 아빠는 통장이랑 오래된 인삼주를 내놓았다 천사는 방을 빙 둘러보더니 내 동생을 물끄러미 바라봤다 아빠는 안 돼! 동생 앞을 가로막았다 이건 아이가 아니고 인형이라고 둘러댔다 천사는 인형이 갖고 싶은 눈치였다 아빠는 시키는 대로 다 하겠다고 죽으라면 죽는 시늉까지 하겠다고 했다 천사는 이상한 미소를 지으며 그럼 죽어! 그러곤 벽에 실금을 냈다 실금 사이로 무색무취의 죽음이 몰려나와 아가리를 벌렸다 아빠는 나와 내 동생을 문밖으로 던졌고 하늘은 청명하고 달빛은 밝아 잊기 좋은 날이었다 천사는 나와 동생의 정수리를 눌렀다 잊어야 사는 날이 장마 끝에는 많으므로 천사는 내 가방을 열고 빗물에 젖은 일기장을 넘겼다 거짓말투성이구나 얘는 인형인 게 분명해 인삼주를 홀짝였다 분위기 파악도 못 하고 심수봉 노래가 흘러나왔다 사랑밖엔 난 몰라 사랑밖엔 난 몰라 천사는 라디오를 발로 걷어찼다

티백을 우리며

그는 태백으로 갔고
나는 티벳으로 가고 싶지만 티백으로 된 차를 우린다

갓 돋아난 차나무 새싹

아빠 칫솔을 모르고 쓴 아침,
타일이 누렇게 변해 가고 있다 양치식물처럼
누런 수건은 언제부터 저기 걸려 있었던 걸까

하하하 웃으렴
귀에 입이 걸리잖니

희망이 생기리라는 희망으로
칫솔을 나란히 꽂아 두는

같은 통속 같은 믿음
닦았던 수건에 손을 닦는 건
맞잡는 걸까

귀엽게도 입을 오물거리는 아빠

말을 아끼면 비밀도 많아진다
가족끼리는 다 말해도 돼
티백을 건져 낸다
칫솔을 변기에 빠뜨리고 아무 말 하지 않았잖아
팬티를 나눠 입는 건 쉬운 일

칫솔모가 하나씩 빠질 때마다
다 알려고 하지 않으면 서로 믿을 수도 있게 된다

우리는 주기적으로 서로를 우려먹었다

황새와 나

앞니가 빠지는 꿈을 꿨다 앞니를 던졌다 지붕 위로 황새가 날아와 앞니를 물고 사라졌다 나는 앞니를 잊는다 누가 물으면 죽었다고 하면 편해진다 손으로 가리고 웃는다 있는 것처럼 입술을 오므리고 말한다 어느 날 캄캄한 창가에 황새가 날아와 내 앞니라고 자기가 늦었다고 미안하다고 한다 나는 내 앞니가 기억나지 않는다 일단 들어오세요 황새를 방으로 들인다 온기가 남아 있다 나는 우리가 서로 어디가 닮았는지 내 깃털을 뜯어본다 황새는 날개를 퍼덕인다 꽁꽁 싸여 쉽게 뜯어지지 않는 계절풍 바람이 쏟아진다 황새는 내 손바닥에 깃털 하나를 빼 준다 너에게 줄 게 이것밖에 없구나! 황새는 없는 앞니를 드러내며 멋쩍게 웃는다 나는 황새 옆구리가 그리웠다 깃털 속은 따뜻할 거야 앞니가 돌아와 내 이불 밑으로 발을 밀어넣는다 하나의 그림자 두 개의 발 나는 완전해 보인다 힘껏 웃는데 웃을수록 우는 것같이 보였다 우리는 하나가 될 수 없어서 가족이 된다 이렇게 어처구니없이 어떻게 앞니도 없이

예천

단발머리 남자는 종일 엎드려 만화책을 보고
슬리퍼를 신고 주워 온 개처럼 쏘다녔다 담배 연기를
내 얼굴에 푹푹 뿜어 대며 도넛 같지? 너도 해 볼래

아무 짓도 안 했지? 엄마가 방문을 벌컥 열고 물었다

단발머리 남자가 콧물을 훌쩍이며 만드는
수타면이나 먹자고
여자만 있는 집에 세를 주다니 그런 엄마가

방문을 열어 놓는 게 옷장을 열어 놓는 게 무서웠다

궤짝에 사과를 쌓아 올릴 때는
멀쩡하게 생긴 걸 위에 올린다 그렇다고 다 멀쩡하지
않다
썩은 게 닿아 멀쩡하던 게 썩을 뿐
흠 없는 사과는 없다

뒤집히는 단발머리가 싫다
어깨에 닿아 삐치는 단발머리가 싫다

남자가 단발머리만 아니었다면 나는 그때
사랑할 수도 있었을까 입으로 후후 도넛을 만드는 기
술을 배울 수도 있었겠다

수두증으로 앞으로 자꾸 쏠리는 엄마가
늙은 경비를 보고 수줍게 머리칼을 귀 뒤로 넘길 때
쏟아질 것 같은 엄마도 그날은 꼿꼿했으니 사랑이여!
불쌍하고 검고 칙칙하고 발그스레하니

마당가에 그렇게 많은 다알리아를 삐끔삐끔 피워 놓
았으니

영주

바람의 방향이 그의 이동 경로였다

스트로브잣나무 꼭대기에서 햇빛이 떨어져
발가락마다 물집이 잡혔다 기다리던 낙타를 타는 일이
그곳에서 일어난 행운의 전부

그 사람 이름 대신
'이봐, 예천!'으로 불린다는 사실

그날 처음 알았다 사막 입구에는 나무가 하나 둘
쓰러지는 바람의 목책

여긴 애들이 올 곳이 못 돼, 그는 꼬깃꼬깃한 달빛을
점퍼 주머니에
찔러 넣어 주며 막차를 잡았다

각자의 눈빛 속으로 밀려드는

각자의 매캐한 냄새를 맡으며

사막은 떠나기 위해
작업복에 묻은 바람을 털어 낸다

시간이 그를 바람 곁으로 돌려보내기 직전까지
장화 속에는 모래가 가득했다

그날 밤 나는
슬픈 소리를 내는 악기가 될 것 같은
이상한 예감으로
잠들지 못했다

흰

버드 파크에서 본 타조가 꽥꽥거리며 꿈속까지 따라
왔다
나는 그만 따라오라고 돌멩이를 던졌다

뒤뚱거리며 내 꿈을 흙발로 밟아
흰 꿈이 얼룩덜룩
한 손에는 캐리어를 끌고 다른 손으로 큰 돌멩이를
들고

동네 입구까지 갔다

내 키에 세 배쯤 되는 타조가
통학버스에서 내리는 아이들을 쫓아오곤 했다

돌멩이를 쥐고 뛰었다
머리를 쪼인 날 타조 주인은 타조알 하나를 우리 집
마루에
올려두고 갔다 내 머리통만 했다

더 따라오면 온 곳으로 돌아가지 못할 텐데

우리 돈 만팔천 원 하는 호텔

아버지는 언제 타조가 되셨을까 질퍽한 흙바닥을 밟
고 다니네

여기까지 따라와서
왜 꿈을 어지럽히냐고 아버지가 푸드덕푸드덕거리고
아버지 이건 내 꿈인데 누가 할 소리예요
더운 나라까지 따라와 이게 뭔 고생이냐
네가 이 꿈에서 나가기 전까지 아무도 못 나간다
타조가 캐리어 위에 걸터앉아
밤새 문 앞을 지켰다

히잡을 쓴 팔레스타인 여인들이 한 줄로 복도를 걸어
갔다
탕탕탕 총소리가 들렸다

벌어진 벽 틈으로

손바닥만 한 깃털들이 방 안으로 계속 날아 들어왔다

레몬 나무

물은 어째서 피가 되는가
피보다 진하지 못하는가

아침마다 컵 가득 물을 마셨어요
피가 되지 않길 바라면서

고깔모자 끝에 매달린 수술처럼
마음을 매달리긴 짧고 생각을 걸기엔 고리가 약했던
날이었죠

모퉁이를 돌면 죽은 날개들이 떨어져 있었어요
검은 새들이 나뭇가지에 앉았다가 아직 살아 있는 고
양이를 파먹는 걸

복수라고 믿으며
검은 떡갈나무의 단단한 물관을 갖고 싶었죠
여기만 아니면 좋겠다고 계단을 두 칸씩
세면서 기어 올라가는 담쟁이

빨리 늙어지면 좋을 텐데
어릴 땐 노인이 나이 들어 어린이가 되어
큰 그림 따위는 믿지 않아요
내가 그리는 집을 발로 뭉개면 나는 또 그릴 거예요

아무도 다치지 않고
상하지 않는

상큼하고 노란
마음을 주렁주렁 매달아 놓았거든요

좋은 곳에서 만나면 더 좋은 얼굴이 되겠지

겨울이면 철새는 철새의 판타지를 향해 이동한다

나는 내 시의 판타지가 있고 교회는 구원의 판타지
가 있다
조금 괜찮은 사람이 된 것 같은
누군가는 회개할 수 있을 거라는

기대보다 기대감이라는 말이 가깝게 느껴진다
가짜 얼굴 가짜 웃음을 들고 거리를 배회하면
웃으면 안 되는 곳에서 웃음이 난다

투명한 볼에 든 숫자 공
손을 집어넣어 꺼내 보면 모두가
아프고 모두가 외로워 누구의 손을
먼저 잡아 줘야 할지 모르겠다

깨진 것이 투명한 볼이든
혹은 심장이든

손을 휘저으면 엉킨 손들이
깨진 유리 조각을 잡아 피를 철철 흘린다

철새 도래지에 남겨진 엄마는
성경책을 부적처럼 꼭 끌어안고 교회로 향한다

구원은

집단과 개인 향락과 질서
현재와 미래가 어디로 갈지 몰라 대열에서
뿔뿔이 흩어진 뒤

새해 복 많이 받아
인사나 다짐만으로
더 좋은 곳으로 이끄는

우리의 판타지는 보이는 것보다
가깝거나 믿을 수 없는 곳에 있다

신이 없어서

우리는 서로를 잠시 믿을 수 있다

야생장미 이야기

장미꽃은 가시를 키우며 울었다
담장을 타고 올라가며
혼자 야옹 소리를 내는 고양이

장미꽃은 밤마다
날름거리는 고양이를 피해
붉어지고 붉어졌다

장미꽃은 심장을 얼굴에 매달아 놓아
마음을 다 들킬까 봐 가시를 심어 뒀는데
고양이는 장미꽃잎을 냠냠
한 계절을 모두 삼켰다

장미꽃 노래는 많고
가시의 노래는 없다네
고양이 노래는 많지만
담장의 노래는 없다네

모두가 사라진 어젯밤엔

"넌 가장 아름다워지기 위해 참혹을 배워야 한단다."

누군가 툭, 잘라 가며 한 말이었다

은하철도의 밤

색깔만 다른 티셔츠를 돌려 입었다 일요일엔 은하철
도를 타고 기계인간이 되는 만화영화를 봤다 기계 공고
로 진학해 집을 젤 먼저 떠난 건 그림을 잘 그리던 오빠
였다 오빠는 기계가 되어 꼬박꼬박 돈을 보내왔다 할머
니 관절염약을 샀다 할머니도 기계인간이 되면 다리도
안 아프고 좋을 텐데 기계인간이 되려면 돈이 많이 든
다 일요일은 안식일인데 다들 교회로 가는데 기도 같은
걸 하면 기계인간이 될지도 모르는데 아빠는 흑염소를
길러 할머니를 기계인간으로 바꿔 주자 했다

경주 지나 안강 너머 기계를 지나면 바다가 나온다
온몸을 삐거덕거리며 비치볼을 주고받고 튜브를 끼로
바닷속으로 뛰어드는 사람들 물에 들어가면 녹이 슬어
못쓸 텐데 무릎이 퍼렇게 녹슨 언덕은 풍향계를 끊임없
이 돌리고 휴게소에는 색깔만 다른 티셔츠를 오천 원에
파는 노점상들이 있다 틀어 놓은 카세트테이프는 기계
적으로 은하수 건너 흘러갔다 할머니도 아빠도 흑염소
도 기계인간이 되지 못했다 일요일마다 찾아오는 은하

철도를 아무도 타지 못했다 그게 다행이었다

필사적인 밤

차 한잔하자
지나가는 말에도
약속이라
전화를 걸어 보지만 그건 그냥 인사 같은 거래요

지면을 찾을 수 있을지 모르지만
시를 쓰면 자꾸
필사적이 되더라구요
생각보다 나이가 많거든요

그래선 안 된다는 말도 팔뚝에 심어 놨는데
조급한 건
변덕이 심한 날씨 탓만은 아니에요

척 보면 알겠다는 사람을 만나면
어쩐지 나보고 하는 말 같아 종일 울적했어요

미완성도 완성이라

죽은 사람의 이야기와 모자 이야기를 옮겨 적으며
남의 슬픔이 좋아 보였어요

도킹을 마친 우주선처럼 느릿느릿 걷고 싶어요
개의 하루와 나의 하루
하루살이와 나의 하루
나란히 놓아 보면 발걸음이 생겨나요

걷는 건 잘해요
제자리걸음으로 계속 걸어요

절반의 사과

중심 잘 잡고 살아야지
엄마는 입버릇처럼 말한다

중심은 어디까지가 중심일까?

양팔을 벌려 시소 위를 걷는다
살짝만 건드려도 쉽게 무너진다 물러진다

한쪽이 슬퍼야 하는 기쁜 반쪽처럼
기쁜 이별이 없는 슬픈 반쪽처럼

너는 너의 안에서 밖을 생각하고
나는 나의 안에서 어디까지 겨울인가 생각한다

세탁기 속 빨래는 같은 방향으로 뒤엉키고
죽죽 내뿜는 검은 물은
태어나기 전 먼바다로 되돌아갈 수 있을까

너무 믿으면
자꾸 무서워진다

기분을 나눈다는 게
상하게도 해

누가 나를 불러 줄 것만 같아
얼굴에도 뒤통수를 만든다

이렇게 보면 여자 같고
저렇게 보면 오리 같은

딱딱한 심장을 둘로 쪼개
아직 상하지 않은 기분을 너에게 건넨다

잡목

애 너 순규 아니니?

나는 김치 통을 갖다주러 가는 길인데

엄마가 내 손을 잡고 순규야 순규야 놓아 주질 않
는다

엄마가 잡은 건 내 손인데 나는 왜 늙고 있나 여긴
꿈인데

브레이크가 고장 났나 봐

차가 잡목 숲 사이로 미끄러졌다 밟는 게 나인지 브
레이크인지 둘 다 말을 듣지 않았다 트렁크에서 튕겨
나간 빨간 김치 통들이 구르고 굴렀다 트럭에 실린 수
박이 벌건 물 줄줄 흘리며 굴러떨어졌었는데 어어 하
며 쳐다보기만 했는데 이런 생각할 때가 아니지 김치
통을 찾으러 가야지

양손 가득 김치 통을 들고

엘리베이터 사십구 층까지 올라가

엄마 나야 나! 문 좀 열어 봐 할 새도 없이 곤두박질

쳤는데

　엄마는 태평하게 찰밥을 할 때 콩을 불려야 하니? 순
규야 순규야 나를 따라오고 나는 핸들을 꼭 그러안고

　　잡목 사이를 헤집으며
　　말이 안 되는 줄 알면서
　　굴러떨어진 깨진 김치 통을 찾으러 다녔다

　　브레이크가 고장 난 차를 타고
　　한 손엔 핸들 다른 손에 김치 통
　　말을 듣질 않는

　　덤불 숲에서 꿈에서 꿈으로 계속
　　굴러갔다

저녁에는 바깥으로 나가야지

노을의 붉은 피 죽은 고양이의 눈알
이런 것으로도 마음을 여밀 수 있는지
단추가 될 수 있는지

발톱을 감추고
나는 법을 익힌 새처럼
저녁에는 바깥으로 나가야지

길가에 내놓은 파라솔 전시 끝난 전람회
바람 불면 머리칼을 넘기고
손톱이 길면 풀물을 들여야지

무덤가에 핀 흰 꽃들에게
안녕 안녕 인사를 해야지
저녁이면 상냥하게 나를 놓아줘야지

사과와 칼

당신의 뺨에서 부드러움을 훔칠 수도 있고
뺨을 세차게 때릴 수도 있다

탯줄을 끊을 수도 있고
방아쇠를 당길 수도 있다

신발 끈을 묶을 수도 있고
목을 맬 수도 있다

우는 사람에게 티슈를 전해 줄 수도
울게 할 수도 있다

당신이 내 손을 잡고 한참 걸을 수도
컴컴한 곳에서 놓을 수도 있다

기분을 숨기면
그것도 기분이 된다

오늘은 가자
일단 내일까지

공손한 작별의 시

서윤후(시인)

안부를 대신하여

요즘엔 건강히 잘 지내라는 말을 부쩍 자주 합니다. 예전부터 해 오던 인사치레이긴 했으나, 팬데믹 시대에 접어들고는 진심에 가까워졌어요. 무사하세요, 무탈하시고요, 부디 건강하세요, 하는 인사를 나누며 우리는 만날 수 없는 시간을 어림잡아 가늠해 봅니다. 금방 또 만나요, 그런 인사를 건넬 수 없게 되어서 우리는 인사도 없이 작별하는 시간이 잦아졌습니다. 인사를 한다는 것은 혼자가 되는 준비예요. 정답 없이 마음껏 헤맬 수 있는 주소이기도 하지요. 혼자서 넓어졌다가, 깊어졌다가, 비좁아졌다가 홀연히 사라지기도 하는 형체 없는 시간 속에서 홀로 됨을 비로소 만나기도 합니다. 그건 모든 것과 이별하는 시간만은 아니죠. 끝이 아니라는 말이에요. 임수현 시인의 작별 인사는 그렇습니다. 끝이라는 예감 속에 다시 새롭게 만날 우연을 심어 두기도 해요. 외톨이 되기의 쓸쓸하고도 용기 있는 모험을 이야기

했던 시인의 동시집 『외톨이 왕』(문학동네, 2019)에는 이런 구절이 나옵니다. "넘어진 자리마다/푸른 싹이 돋아나는"(「봄」). 저는 이 공손한 작별의 시를 읽으며, 많은 헤어짐보다 앞으로 내게 다가올 것들을 생각했어요. 참 이상한 희망이죠.

시인이 보내는 작별은 우리에게 다가올 다음을 위한 가장 투명하고 건강한 인사예요. 지금 막 도착해 있는 정서와 가장 밀접하게 놓여 있는 따뜻한 안부라고 생각해요. 헤어질 때를 잘 아는 것, 그래야 오래갈 수 있다는 것을 깨달은 시인의 다소 차가운 결심을 따라 걷다 보면 알 수 있는 체온이기도 해요. 이 세상에서 살아남는 법을 스스로 터득하고, 문득 서로를 견디다 깨진 자리를 들여다보기도 하죠. 자신이 무엇과 작별 인사를 나누었는지, 그 글썽거리는 풍경을 덤덤하고 차분하게 언어로 덜어 내는 시간이에요. 이제는 헤어짐이 슬픔으로 읽히지 않아요. 헤어지는 것은 오히려 좋아요. 좋은 작별은 더 많은 만남을 기약해 볼 수 있으니까. 이 시집은, 오늘 당신은 무엇과 헤어졌나요? 하고 공손하게 물어보는 일이에요. 누군가 떠난 자리를, 떠난 그대로의 공백으로 간직할 줄 아는 시인의 인사가 각별하게 다가오는 이유이기도 하지요.

세상이 내게 알려 준 것들

혼자라는 기민한 감각을 세우지만, 그 어느 것도 훼손하지 않고 주변을 헤쳐 나가는 시인의 조심성에 대해 생각해요. 주변을 헤아리는 사려 깊은 보폭으로 자신의 세계를 천천히 횡단하는 시인은 이 세상을 살아가는 여러 방식을 스스로 터득해요. "침묵 속에서만 가능한/호흡법을 배우는"(「호흡법」) 시인은, 자신에게 찾아오는 침묵의 시간에 침몰하지 않고, 시의 언어를 통해 새로운 호흡법을 익히죠. 이 시집은 침묵에서 꺼내 온 시인의 호흡법이에요. 이 호흡을 빌려 우리가 만나게 될 세계는 다를 바 없이 익숙한 풍경이지만, "바다에서는/누구나 웅크리는 법을 알게"(「파도의 기분」) 된다고 일러 주는 시인의 보폭 속에서 우리가 머물러 있는 세계를 다시 가져 보는 일인 것이죠. 시인이 이렇게 터득한 삶의 방법들은 특별해요. 삶을 요령껏 살아가는 기술이 아니라 정직하게 삶을 마주하는 자세로 읽히기 때문이지요.

혼자 됨에 고립되어 있지 않고, 시인은 '우리'라는 평범한 공동체 속에서 서로에게 내거는 희망을 찾아요. 그러니까 우리가 이 세계를 살아가는 방식이기도 하지요. "어깨에 어깨를 걸면 조금 더 걸을 수 있다"(「왼쪽으로 돌아누워 자면 섬이 나와요」)는 것, 서로가 서로에게 기대어

갈 때 유예되는 슬픔 같은 것이 있다면, 시를 읽는 동안
시인은 자주 곁으로 찾아와 텅 빈 한쪽 어깨를 내밀어
요. 잠깐만 같이 가자고.

오래가요?
오래가요!
질문과 답이 한 종이에 있는 오픈 북 시험처럼

처음 금붕어란 이름의 금붕어를 찾아 서로의 무늬를
지우면 더 오래 헤엄칠 수 있었을까?

우리가 함께라면

서로의 무늬로
비스듬히 어깨를 기대도 좋았을 거야

끝끝내 우리는 서로를 알 수 없어
뿌옇게 흐려질 수 있었다

어항도 되고 꽃병도 되는
이곳에서는
모두가 한순간이라고 말한다

—「한 다발」 부분

서로 다른 점을 헤아리면서도 우리가 되는 기쁨을 겪어 본 사람만이 혼자 됨을 알아차릴 수 있다고 믿어요. 시인은 "서로의 무늬로/비스듬히 어깨를 기대"며 무성해지던 시간을 지나온 것이죠. "어항도 되고 꽃병도 되는" 서로의 쓸모를 나눠 갖는 "한순간"을 "한 다발"이 되었던 기억력으로 꼭 이 세상을 견뎌 온 것 같아요. 그것은 세상살이에 있어 우리가 모를 리 없는 단순한 방법일 수도 있지만, 이미 알고 있는 것들이 오히려 더 어렵고 난해하다는 것을 누구보다 잘 알죠. "서로를 알 수 없어/뿌옇게 흐려질 수 있었"던 시간이 찾아들 때마다, 시인은 혼자가 된 우리들에게, 우리였던 적을 환기시키는 작은 물방울을 내밀어요. 어항이나 꽃병에 맺히는 투명한 슬픔을 나눠 가질 수 있도록 머금어 온 풍경을 그리곤 해요. 그렇게 우리는 다시 재회하게 될 거예요.

서로의 다음을 열어 줄 때

시인이 세상을 살아가는 방식을 배우는 동안, 우리는 작별의 전조를 느낄 수도 있어요. 혼자로 끝나 버리는 시간이 아니라, 혼자가 되어 비로소 '우리'의 자리를 감각하는 이 움직임을 놓아주지 않던 시인은 꾹 참아 온 작별을 고하는 것만 같아요. 때론 어쩔 수 없는, 무기력하게 만드는 이별이기도 하지만 시인은 보여 주죠. 스스로 용기를 낸 작별도 있듯이, 서로의 다음을 열어 주는 활기찬 작별도 있다는 듯이요.

시인에게도 어쩔 수 없는 이별이 있어요. 그 부재를 기억하는 방식으로 끝을 시작으로 열어 두어요. 여기에서 끝나는 슬픔과 시작하는 기쁨이 교차하는 자리가 있어요. 서로를 다른 방향으로 향하고 있는 작별의 주소지죠. 시인은 이 주소지를 찾아 헤매요. "묘지는 산 사람들을 잘 이해하기 위해/파릇파릇한 잔디를 깔아 놓"(「자전적 소설을 읽는 밤」)는 역설적인 풍경을 그려 내기도 하고요, ""넌 가장 아름다워지기 위해 참혹을 배워야 한단다.""(「야생장미 이야기」) 같은 말을 곱씹으면서, 자신의 잘린 단면을 아파하지 않고, 다시 시작할 수 있는 한 뼘의 마디로 간직하기도 해요.

없는 사람 얘길 할 때
우리는 왜 더 가까워 보일까 둥근 테이블 밖으로
서로를 건져 내며

더 좋은 날이 되자고 술잔을 부딪혔지만
진짜로 그런 마음이 생겨나기도 했다

씹히지 않는 생낙지를 몰래 뱉어
쓰레기통에 버린다

문득 바라본 창밖에 눈이 내리고
내린 눈은 쌓이지 않는다

뭉쳐지지 않는 눈발이
계속 쌓이고
쌓여서는 흩어진다

테이블 아래
각자의 발이 푹푹 빠지고

다 말하지 않아
다음에 또 볼 수 있었다
안전하게 헤어질 수 있었다

　　　　　　　　　　　　—「오늘 모임」 부분

　화자는 사람들과 어울려 모여 있으면서도 내내 어떤
생각을 떨치지 못합니다. "없는 사람 얘길 할 때/우리는
왜 더 가까워 보일까" 그런 의심을 하면서 우리에게 당
도한 시간을 다시 들여다보기도 하지요. 창밖에 쌓이지

않는 싸리눈을 보며, 여기저기 흩어지기만 하는 눈발을 보며, 화자는 "다 말하지 않아/다음에 또 볼 수 있었다"고 이야기해요. "안전하게 헤어질 수 있"는 방법을 알게 된 순간이지요.

때로는 서로를 깊이 관여하는 질기고 단단한 '우리'였다가도, 다 말하지 않아 서로를 지켜 줄 수 있는 단절된 그대로의 '우리'가 되기도 해요. 시인이 혼자가 아니었을 때의 '우리'는 상실을 느끼지 않으려고 도리어 침묵을 지키는 편이 되기도 하고요, 말없이 어깨를 내밀어 주는 다정한 편이 되기도 하지요. 이 작별이 지금 우리에게 필요한 이유는 "여분의 믿음으로/오늘도/하이파이브"하는 헤어짐이 "각자 공을 들고 각자의 무게를 나누며//굴러"(「열 개의 심장」)오는 다음을 열어 주기 때문이 아닐까요.

견딤과 버팀에 대하여

사실 이런 결심이 쉽사리 태어난 것은 아니에요. 관계에 얽힌 복잡한 과정이 다른 시에도 나타나 있어요. 서로를 견디며 단단해졌지만, 또 서로를 견디다 깨져 버리기도 했던 상실의 자리에 시인의 발자국이 차곡차곡 놓여 있어요. '우리'를 이해하려는 시인의 드넓은 둘레가

때로는 모서리에 가려져 있던 마음을 헤아리지 못하였고, 여러 시행착오를 통해 '함께'하기 위해 가장 좋은 방법을 뒤늦게 깨닫기도 해요. 가령, 조경에 대해 "죽을 각오로 사는 거/유효 기간을 지날 때까지는 어떻게든 버텨 내는 거"(「조경」)라고 새롭게 읽어 내는 풍경은 우리에게 익숙하게 드리워져 있던 시간이 어떻게 견뎌 내고 있는지 잘 보여 줘요. "우리 곁에 잠시/녹는 것 같다 밍밍해서/뭔가 더 넣고 싶어지는 것들과"(「초복」)의 부대낌 속에서도 넘쳐흐르는 것과 모자란 것을 분별하는 헷갈림으로 어떤 시간을 견뎌 내기도 하지요. "조금 더 견디지 그랬니?"(「하나를 알면 둘이 잊혀서」) 그런 모진 말을 해 보는 시간도 있어요. 견디지 않으면 살 수가 없어서, 시인은 자신의 눈망울에 맺히는 풍경을 각자의 살아가는 방식으로 다시 읽어 내면서 '혼자' 견뎌 내는 것이 아니라고 넌지시 이야기해요. 저는 그 나란함에서 "한참 더 걸을 수 있다"(「긴 목을 늘어뜨리고」)는 따뜻한 예감을 간직하기도 했지요.

극장 안에서 앞사람의 의자를
툭툭 차는 건 실례예요

섬세하지 못한 기분을 삼키게 되거든요

주머니에서의 일은 캄캄했지만
혼자가 얼마 만인지 몰라요

밤은 해변에서 솔직해져 몸을 구겨 키스를 나누고
웃으며 왔던 애인들이 두고 볼 거야 쌍년아
욕을 하며 떠나기도 해요
깨진 소주병은 모래 속에 숨어
연한 발바닥만을 노리죠

그곳을 멀리 떠나왔는데
잠결에
"응응 그래서?" 물으면
다른 사람 꿈을 따라 꾸는 것 같아요

기분 전환으로 바다를 찾는 사람들은
상쾌한 기분을 찾아 돌아가요
그때 슬쩍 주머니에 넣어 온 기분이에요
마음이 없는 건 아니지만
주지는 않아요

            —「돌멩이가 되기로 했다」 부분

오래가기 위해서 우리는 적절하고도 담백한 간격이 필요해요. 서로를 넘어서지 않으면서 서로를 지켜봐 줄 수 있는 거리감 속에는 시인이 "돌멩이"가 되기로 자처한 이야기가 있어요. 이 결심은 쉽사리 오는 것이 아니에요. "철 지난 외투 주머니"에서 문득 발견되는 것이기도 하고요, 오히려 "몰라서 참 좋은" 연애처럼 알지 못하는 곳에서부터 시작되기도 하지요. "극장 안에서 앞사람의 의자를/툭툭 차"지 않는 선에서, 화자는 섬세한 기분을 방해받지 않고 싶어 해요. "주머니에서의 일은 캄캄했지만/혼자" 도는 일을 내심 기다리기도 하는 '우리'라는 간격의 피로감은 때로 우리를 불투명하게 만들어요. 우리의 고운 마음속에 숨어 있는 "깨진 소주병"처럼 나타날지도 모르는 사나운 시간이 오기 전에 시인은 교차로를 먼저 건너기도 해요. 그래서 외로울 수도 있었겠지만요.

아무도 다치지 않는 작별을 위해

시인은 잠시 '우리'와의 안전한 이별을 선택하고 혼자
로 돌아오게 돼요. 서로를 우려먹던 시간을 떠나와 "상
냥하게 나를 놓아"(「저녁에는 바깥으로 나가야지」)주는
저녁의 시간 속에서 자신의 어둠을 웅크리기도 하지요.
그러면서도 "누가 날 위해 밤새 끄지 않는 스탠드가 있
나 봐"(「스탠드를 밤새 켜 놓고」) 하고 타인의 존재를 잊
지 않아요. 이 안간힘은 혼자 됨에 있어서도, 우리가 될
수 있는 일에도 꼭 필요하지요. 시인이 타전하는 이 힘
이 용기로 환원되는 순간마다, 시는 한 뼘씩 더 다가와
있어요.

적당한 것이 가장 이상적일 때도 있어서, 시인은 "허
브에 너무 많은 물을 줘서 죽인 적 있다"(「이브」)고 아픈
고백을 하기도 해요. "스투키에 물을 듬뿍 준 게 마음에
걸려"(「작별 인사는 짧게」)는 시인의 걱정처럼요. 넘쳐
서 오히려 망가지게 된 관계를 지나온 우리는, 모자라거
나 내뺌으로 이어지는 삭막함을 몹시 두려워하죠. 시인
이 겪어 내는 사랑의 통점이 바로 여기에 있어요. 아프
지만 해 볼 만한 것이라고 생각되는 희망도 같은 자리를
나눠 쓰고 있고요.

때로는 모르는 게 더 낫다고 이야기해요. 시인은 모르

는 상태를 낯설어하거나 두려워하지 않죠. 오히려 이 망각을 통해서 더 나은 관계를 꿈꾸기도 해요. 혼자 됨의 시간에 숙달된 시인의 깨진 자리를 통해 우리는 안전한 관계를 전망할 수도 있겠어요. "서로 모르고 지내는 건/얼마나 안전한가"(「조용한 세계」), 동시에 "나는 나에 대해 가장 무지해서/노트에 무엇이든 쓸 수가 있었"(「무지」)다는 용기로까지 스스로를 회복하는 자리가 작품에 그대로 적혀 있으니까요.

여기만 아니면 좋겠다고 계단을 두 칸씩
세면서 기어 올라가는 담쟁이

빨리 늙어지면 좋을 텐데
어릴 땐 노인이 나이 들어 어린이가 되어
큰 그림 따위는 믿지 않아요
내가 그리는 집을 발로 뭉개면 나는 또 그릴 거예요

아무도 다치지 않고
상하지 않는

상큼하고 노란
마음을 주렁주렁 매달아 놓았거든요
　　　　　　　　　　　　　　　　　　—「레몬 나무」 부분

시인에게 세계란, 매달리며 견디는 현장이자 "여기만 아니면 좋겠다고" 생각하는 벼랑이기도 해요. 세계의 양면성을 투명하게 응시하면서 혼자와 우리 사이의 적절한 작별 인사를 고르면서 살아가죠. 그럼에도 결국, 그 마음이 "아무도 다치지 않고/상하지 않는" 것에 쓰인다면, 그 마음이 "상큼하고 노란/마음을 주렁주렁 매"다는 일로 쓰인다면 시인의 작별 인사가 결코 슬프게 느껴지지 않아요. 이 공손한 작별의 시들을 통해, 우리는 우리가 함께 견디고 있다는 사실을 나눠 가질 수 있으니까. 서로에게 조금은 넘치고 때로는 모자람을 보여 주긴 했지만, 그것이 여실히 우리를 더 오래가게 만드는 믿음으로 굳어 간다는 것을 시인은 말하고 있어요.

우리는 혼자가 되었을 때, 여전히 '외톨이 왕'이지만, 슬픔의 층계참을 조금만 지나면 다시 만나야 할 사람들이 기다리고 있다는 것을 알아요. 그것이 다시 발걸음을 내딛게 하는 힘이자, 우리가 읽어 내야 할 간격이라는 것까지도. 이제는 만날 수 없지만 영영 마음속에서 낯선 이국의 지도처럼 남아 살아가는 시인들도 있으니까요. 이 작별을 과연 슬픔이라고만 짐작할 수 있을까요?

다시 만날 때까지

시인은 자신의 홀로 된 시간이 불러 세우는 순간들에 충실히 응답하며, 묵묵하게 세상을 읽어 왔어요. 홀로 무성해지던 시간을 가지 치며, 앙상한 초상화를 그렸어요. 그 나무는 죽은 것이 아니라, 다시 싹을 틔울 맨 처음으로 돌아간 것이죠. 시인의 발자취를 따라 읽는 동안, 우리가 언제 어떻게 만났는지보다, 어떻게 헤어졌는지를 생각해 보게 되었어요. 세어 볼 수 있는 이별이 많다는 것은, 그만큼 세어 볼 수 없을 만큼 우리가 마주쳐왔다는 것이겠죠. 그 복닥거렸던 시간을 다시 따뜻하게데워 혼자가 된 사람들에게 건네는 시인이 있어요. 크고작은 결심을 홀로 깨우치다 또 깨뜨리며 다가온 시인의안부를 오래 간직하고 싶은 마음이 들어요. 네 마음과내 마음을 교환하고, 네 마음과 내 마음이 엇갈렸다는것을 나눠 갖더라도 잊지 말자는 말 같아서요. 닿을 수없는 거리에 여전히 우리가 있고, 마주친 자리에서 씩씩하게 작별을 고하는 용기가 우리를 닮아 가고 있다는사실을요.

이 공손한 작별 인사가, 앞으로 우리가 해야 할 많은일들을 대신하고 있다는 생각이 들었어요. 누군가의 외로움을 바란 적 없지만, 그 외로움의 가장 아름다운 부분을 보여 주는 시인의 갈피 속에서 우리는 놓친 것들, 붙잡고 있는 것들을 한꺼번에 헤아려 볼 수도 있겠어요. 이 분주함이 싫지 않아요. 온전히 살아 있다는 증거이기도 하니까요. 기꺼이 흔들리겠다는 시인의 의지를 용기로 꺼내 오는 중이에요. 외로움을 따뜻하게 데워 건네는 시인의 선한 결기와 있는 힘껏 내어 주는 외로움의 어깨동무가 혼자가 된 우리 곁에 와 있어요. 지금요. 바로 여기에요.

아는 낱말의 수만큼 밤이 되겠지

2021년 7월 13일 1판 1쇄 펴냄

지은이	임수현
펴낸이	김성규
편집	김은경 조혜주
디자인	김동선
펴낸곳	걷는사람
주소	서울 마포구 월드컵로16길 51 서교자이빌 304호
전화	02 323 2602
팩스	02 323 2603
등록	2016년 11월 18일 제25100-2016-000083호

ISBN 979-11-91262-44-5 04810
ISBN 979-11-89128-01-2 (세트)